TODOS MIS SONETOS

BLAS DE OTERO

TODOS MIS SONETOS

EDICIONES TURNER, S. A.

MADRID

© Blas de Otero
© De la edición en lengua española:
EDICIONES TURNER, S. A.
Génova, 3. Madrid-4

ISBN: 84-85137-58-2
Depósito legal: M. 19.998-1977
Reservados todos los derechos que marca la ley

Primera edición, mayo 1977
Diseño de la cubierta: Diego Lara
Fotografía de la cubierta: Alberto Schommer
Tirada de la cubierta: Royper, S. A.

Composición e impresión:
Closas-Orcoyen, S. L. Martínez Paje, 5. Madrid-29
Encuadernación: F. A. E., S. A. Torrejón de Ardoz, Madrid
Papel fabricado por Torras Hostench

NOTA

Este libro de sonetos comprende desde 1942 hasta 1975. Durante estos últimos años he estado escribiendo mi nuevo libro Hojas de Madrid con La galerna, *todo él en verso libre o versículo. Pero de vez en cuando se me cayeron de las manos algunos sonetos, que no forman parte de dicho libro e incluyo aquí.*

B. DE O.

SECUENCIA

LOS SONETOS DE BLAS DE OTERO

«Cada poeta forja su propio verso y lo anima de un particular ritmo, que es la interpretación musical de sus sentimientos y de su pensamiento poético, adecuación perfecta de la forma y el contenido que trata de expresar» [1].

Generalmente relacionamos a los poetas con una o dos formas métricas determinadas, aquellas que usó con preferecia o donde logró sus más afortunadas creaciones. ¿Qué relación existe entre el poeta y su medio de expresión?; ¿por qué se mueve más libremente la voz de unos entre las férreas redes del soneto y otros deslían sus imágenes a lo largo del versículo?

Y aún es más sorprendente la permanencia constante en la literatura española de un metro, el endecasílabo, y una estrofa, el soneto. Sensibilidades tan dispares como la de un Lope y un Quevedo, un Garcilaso y un Góngora o, más cercanos a nosotros, un Gerardo Diego y un Blas de Otero, encontraron, sin embargo, en el soneto un perfecto molde donde gritar, meditar, cantar, rimar. Esta cualidad, su permanencia, admiraba a Carducci y asombra a Dámaso Alonso [2]: *«Pasarán los años y los años, irán modas, vendrán modas, y ese ser creado, tan complicado y tan inocente, tan sabio y tan pueril, nada, en suma, dos cuartetos y dos tercetos, seguirá teniendo una eterna voz para el hombre, siempre igual, pero siempre nueva, pero siempre distinta.*

*Tan profundo como el enorme misterio oscuro de la poesía
es el breve misterio claro del soneto.»*

La ironía, el dolor, la sátira, la polémica, el amor pasa-
ron a través de sus versos. Y Petrarca lo universalizó con
su autoridad.

En este volumen de la Editorial Turner se reúnen todos
los sonetos de Blas de Otero, el poeta de las generaciones
de postguerra que más intensamente y de modo más inin-
terrumpido ha utilizado el soneto como cauce de su expresión poética.

¿Qué significa el soneto, en cantidad y calidad, en el
conjunto de la obra del poeta? Es fácil contestar a la segunda pregunta: en soneto están escritos algunos de sus
mejores poemas. En cuanto a la cantidad, las cifras son
elocuentes: en sus primeros libros el porcentaje de sonetos
es muy alto: 50 por 100 en Angel fieramente humano, 66
por 100 en Redoble de conciencia. Baja a aproximadamen-
te un 3 por 100 en Pido la paz y la palabra y En castellano,
para volver a tener un peso importante en Que trata de España (20 por 100) y Mientras (12 por 100). Y, curiosamente,
mientras realizaba su última producción, aún inédita (su
próximo libro, Hojas de Madrid con La galerna, del cual
han aparecido algunas muestras en las antologías Expresión
y reunión, Verso y prosa y Poesía con nombres), que se ca-
racteriza por el poema largo en versículo o verso libre, «se
le cayeron de las manos», como él mismo dice, algunos sonetos [3]: estos sonetos significan el 18 por 100 del total de
los poemas. Vemos, pues, una constante inclinación por esta
forma tan concentrada, tan recortadora de cualquier vuelo
extraviado de la verbosidad. Cuando el poeta explica en la
Antología consultada [4] su proceso de creación, «corrijo, casi
exclusivamente, en el momento de la creación: por contes-
tación, por eliminación, por búsqueda y por espera, estamos al borde de desentrañar el sentido último del soneto, y
comprendemos, desde luego, por qué Blas de Otero es un
sonetista reincidente. Opina Dámaso Alonso [5] que «casi todos los sonetistas se inclinan del lado de la diafanidad, de

la armonía, de la belleza. Y éstas son, casi siempre, las cualidades que realzan el soneto». Pero ¿será cierta esa «diafanidad», esa «armonía» en algunos de los atormentados sonetos que aparecen en este libro? Ambas notas serían perfectamente aplicables a un Garcilaso, pero ¿acaso a algunos sonetos de Quevedo? Hay una iluminadora descripción del soneto hecha por el mismo Otero en Historias fingidas y verdaderas, su libro en prosa[6]: «Entre la realidad y la prosa se alza el verso, con todas las ventajas del jugador de ajedrez y ninguno de sus extravagantes cuadros. Ni siquiera el soneto, tan recogido él, tan cruzado de brazos. Pues alguien lo acantiló, lo precipitó por dentro, abombando sus límites para que una historia completa cupiera en una palabra tan triste como ésta»[7]. Aquí está la solución dialéctica entre la pasión que «acantila», «precipita» y «abomba», pero «dentro», pero en los «límites» donde se «recoge», «cabe», la «tristeza cruzada», la «bella y diáfana armonía» del soneto. Así, en el mismo equilibrio pueden apoyarse temas tan dispares y versos tan diferentes en el ritmo como

¡Quiero vivir, vivir, vivir! La llama
de mi cuerpo, furiosa y obstinada

y

Un extraño sentido enciende y tiñe
el papel donde olvida y donde aprende
Salicio juntamente y Nemeroso.

El poeta, que desde la prehistoria de su obra se ha planteado el problema de la forma, en 19 de sus 42 sonetos inéditos vuelve una y otra vez sobre este tema, y dice:

El soneto es el rey de los decires,
hermoso como un príncipe encantado,
con una banda azul, cuadriculado
para que dentro de él, ardas, delires.

XIII

Y confiesa, así, sencillamente:

Yo conozco su íntimo secreto.

Secreto del nacimiento de la palabra en el interior y empujada por la cerrada estructura del soneto:

El hombre aprieta la palabra, ciñe
el silencio interior. Luego, desprende
el verso sabiamente rumoroso.

El soneto de Blas de Otero ha ido modificándose al par de su vida:

A los cincuenta y tres años de mi vida
el soneto es distinto, las vocales
más anchas, los apóstrofes iguales
y los naufragios más originales.

Nos preguntamos, ¿a qué naufragios se refiere el poeta? ¿A los de su vida? ¿A los de sus versos? Acaso a ambos. Suave ironía de quien puede contemplar desde arriba, con serenidad ya, su obra y su camino. Veremos más adelante, al estudiar la variación rítmica de sus endecasílabos, lo reveladora que resulta esta confesión.

Los sonetos de la primera época (Angel fieramente humano *y* Redoble de conciencia) *se caracterizan, en general, por la pasión tumultuosa, a duras penas contenida en los límites del soneto. Las palabras parecen hervir, precipitarse por las hendiduras del verso. Estas hendiduras (pausas, acumulación de acentos, encabalgamientos abruptos) «abomba» y, sobre todo, «acantila» el ritmo del endecasílabo.*

Oh Dios. Si he de morir, quiero tenerte
despierto. Y, noche a noche, no sé cuándo
oirás mi voz. Oh Dios. Estoy hablando
solo. Arañando sombras para verte.

*En correlación con el sentimiento angustiado, anhelan-
te, que escapa de esta materia fónica y rítmica exacerbada,
los temas que predominan en sus libros (y* Ancia *que los
contiene, ampliado con 48 poemas más, 12 de ellos sonetos) son: enfrentamiento entre la criatura abandonada y
su Creador. Horror ante el vacío al que se ve irremediable-
mente destinada:*

Solo está el hombre. El mundo, inmenso gira.

Ya en Redoble *aparecen dos sonetos con la fórmula sal-
vadora: llamamiento a la solidaridad de todos los desarrai-
gados:*

Es a la inmensa mayoría, fronda
de turbias frentes y sufrientes pechos,
a los que luchan contra Dios, deshechos
de un solo golpe en su tiniebla honda.

A ellos se dirige:

¡Ay, ese ángel fieramente humano
corre a salvaros, y no sabe cómo!

*También el tema del amor predomina en los dos libros
mencionados. La mujer —«hambre de Dios», «alba de
Dios»—, buscada para salvarse de la soledad.*

En Pido la paz y la palabra *rompe con los temas anteriores. El poeta ha encontrado su puesto en este mundo.*

Hombre vapuleado, como tantos otros hombres, pero to-
mando conciencia del «aquí», del momento histórico. El
proceso de concienciación, que partió de un sentimiento de
abandono, de ruina, ha llegado a concretarse: sabe «por
qué», «en dónde», «con quiénes». Un solo soneto contiene
este libro, y marca una transición temática:

> Dicen que estamos en el antedía.

Y despide el pasado de luz y sombra con una insólita
imagen:

> Madera dulce de la luz: estría
> triste del día que se va.

Esta ruptura temática va acompañada de un cambio de
forma, despojada de retórica. Este cambio adquiere una
nueva expresión en el libro siguiente, En castellano, *que la*
censura prohibió repetidamente hasta obligar al autor a edi-
tarlo en Francia, donde aparece con el título Parler claire.
Por ello dice el poeta:

> Hablo
> en español y entiéndese en francés.

Hay en él un revolucionario cambio de ritmo, que se
manifiesta fundamentalmente en la ruptura del endecasíla-
bo. Los sonetos, desde este momento, y abarcando un nú-
mero muy importante del siguiente libro, Que trata de España *(un 20 por 100 de los poemas son sonetos), cambian*
de procedimiento en ese forcejeo que continuamente man-
tiene el poeta desde dentro de la férrea estructura formal
del soneto. Hay un progresivo alargamiento del metro (ale-
jandrinos, dodecasílabos, sustituyen en ocasiones al ende-
casílabo) e incluso de la estrofa de 14 versos. En Crónica
de juventud (Que trata de España), *en el segundo cuarteto*

se introduce un exasílabo sin rima, resultando así una estrofa de cinco versos. En No quiero que le tapen la cara con pañuelos, del mismo libro, en el segundo cuarteto se intercalan acotaciones dialogales, como en la novela:

> ¿No ha de haber un espíritu valiente?
> contesto.
> ¿Nunca se ha de decir lo que se siente?
> insisto.
> No dejan ver lo que escribo
> porque escribo lo que veo.
> Yo me senté en el estribo.
> Y escribí sobre la arena.
> ¡Oh blando muro de España!
> ¡Oh negro toro de pena!

Los tercetos de este poema nos muestran otro de los recursos que el poeta utiliza ahora para librarse de la rigidez del soneto: aligerar el ritmo introduciendo el octosílabo popular. Como en Y dijo de esta manera, soneto en rima asonante, cuyo terceto final desprende de su último verso esta letra del «cante jondo»:

> Mi calabozo tenía
> una ventanita al mar
> donde yo me entretenía
> viendo a los barcos pasar
> de Cartagena a Almería.

Todo el soneto es un alarde de estilo. Los cuartetos, tan coloquiales (ver ese octosílabo del segundo cuarteto), aparentemente intrascendentes, en fuerte contraste con la amargura que destilan los tercetos introducidos por «intocables». El aire (la «libertad necesaria» en Otero) nos lleva a ese cante, símbolo de la asfixia de una España-cárcel. Todo el soneto queda en vilo, en un juego de saltimbanqui que va desde afirmaciones estéticas a la gracia del desgarre popular, de la trascendencia filosófica a la denuncia política. Así, en este ensanchar el soneto, Blas de Otero introduce una modificación importante en la tradición sonetista. Ya no es un solo tema el que se plantea en los cuartetos y se resuelve en los tercetos. No. En este soneto se enhebran varios temas y metros, alternan rimas asonantes y consonantes, entra el aire popular, se medita sobre la vida y sobre la elegancia azul de una letra, se llora por la falta de libertad. Y todo, en catorce versos dicen que es soneto.

Un paso más en este afinamiento de la forma: los últimos sonetos inéditos. En ellos el tono es más meditativo, más discursivo, de acuerdo con los temas predominantes: contemplación de la vida y del paso del tiempo y la perturbadora presencia del paisaje urbano en la sociedad de consumo. Hay una interrogación sobre el destino del hombre, pero ya sin crispación, con una especie de asombro ante el misterio:

> Silencio alrededor de la navaja.
> Silencio dentro del terrible timbre.

En Hagamos que el soneto se extienda *algunos versículos han sustituido al verso con medida. Continúa la experimentación, con más insistencia que nunca (19 de estos 42 sonetos inéditos tratan de estética), buscando afinar el instrumento rítmico y hacerlo intensamente expresivo:*

> Hagamos que el soneto se extienda, respire como un mar
> [sin riberas.

¿Pero esta meditación sobre la vida y la obra puede deslizarse en paz a través del espacioso versículo, sin la crispación de encabalgamientos, sin versos cortados por varias pausas, sin insistentes golpes acentuales, sin alteraciones atormentadas? ¡Ah, la aparente placidez del hombre que mira su pasado al descender la cumbre de los cincuenta!

Tras la máscara blanca del pelo, la lentitud de la palabra,
este hombre vigila, está atento al asalto. Ya no lucha como
aquel «ángel fieramente humano». Ahora pide

Serenidad, seamos siempre buenos
amigos.

Y se asombra de no verse aún derribado:

Incomprensible es el sentirse vivo.

Y aún más:

Incomprensibles son hombre e historia.

La brida de la serenidad ha de sujetar el miedo. ¿Cómo
se resuelve estéticamente esta contradicción? No ya con
gritos, como en la obra de juventud, sino con más sutiles
movimientos del ritmo endecasílabo. La crispación va a
romperlo, disponiendo el material dentro del verso de modo
tal que extrañas distribuciones acentuales entorpezcan el
fluir armónico del endecasílabo tradicional o le dejen caer
en su secuencia final huérfano de acentuación en la octava
sílaba. Como un niño, sí; ese niño que surge en muchos de
los poemas últimos de Blas de Otero:

Un niño está llorando en la escalera.

Como veremos más adelante, al estudiar la riqueza ex-
presiva y la variedad del endecasílabo en los sonetos ote-
rianos, la angustia de sus primeros libros ha desaparecido.
La aceptación del hecho cierto de la muerte la ha elimina-
do para dejar al hombre frente al frío terror. Ya no se
expresa el poeta con gritos estridentes, sino con la suspen-
sión del aliento, con un pararse el verso sin aire. Véase el
soneto Qué es el morir:

Yo soy. Un árbol. Arraigado. Firme.
Aunque, en el fondo, bien sé que he de irme
en el río que arrastra nuestras vidas.

*Es el terceto final del poema. El primer verso nos re-
cuerda los endecasílabos de* Angel fieramente humano *(cortados, muy acentuados, alteraciones duras, lento ritmo sá-
fico), de rotunda afirmación del hombre frente a la muerte.
Seguidamente cambia el ritmo, y la inquietud de un dactí-
lico queda reforzada por una acumulación de diptongos y
sinalefas de vocales iguales o de vocales en contacto que no
pueden unirse, dejando en suspensión, sin apoyo de articu-
lación consonántica, el aire en la cavidad bucálica. Me in-
teresa llamar la atención sobre este papel importantísimo
de las vocales en el endecasílabo como retardador del ritmo, y el pasmo del aire contenido, retenido, en este paso
de una vocal a otra, prolongando el ahogo:*

Aunque, en el fondo, bien sé que he de irme.

*El terceto se cierra con la suavidad de un melódico, de
acuerdo con el dejar irse en el río de la tradición manri-
queña.*

*De notar, en los últimos sonetos, es la insólita acentua-
ción en tercera y octava, que no había aparecido en las eta-
pas anteriores. Marca un ritmo poco ágil, que dificulta la
fluidez del trocaico. Vemos la expresividad que puede ad-
quirir al reforzar rítmicamente «inquietud»:*

Menos
mal que bebí de tus venenos,
(3.ª-8.ª)   inquietud, y no me supíste a nada.

*Blas de Otero ha utilizado también la acentuación débil,
bien en la primera o en la segunda parte del verso, con
efectos muy interesantes. Cuando el primer acento se retra-*

sa, el endecasílabo va anhelante en su busca. En No me ex-pliquen nada *marca así la incomprensión:*

incomprensiblemente derribado.

Otra variedad de acentuación débil es la sáfica, sin apo-yo en la sílaba octava. Esta modalidad ha sido utilizada sa-biamente por los grandes sonetistas españoles. Veamos el valor expresivo que obtiene de ella en Angel fieramente humano:

Una palabra que no se me pierda.

Y queda el verso perdido, como ese acento que se busca en vano.

O el abandono, acentuado por ese endecasílabo vacío en su segunda mitad:

de niño absorto entre los soportales.

Son muy significativos los endecasílabos oterianos que terminan en un adverbio en mente [8]. *Aunque estos adver-bios llevan dos apoyos acentuales, el primero pierde parte de su entidad y produce así una debilitada que contribuye a resaltar cualquier significado de lentitud o alargamiento, como en:*

mortal, que arrastra inconsolablemente.

O el siguiente, donde todo el verso parece encogerse so-bre esas dos íes *centrales, y el adverbio queda sin voz casi,* tan *tímidamente:*

reconcentrada y tímidamente.

Otras veces es la lentitud:

es la que llega despaciosamente.

Y en último ejemplo, especialmente significativo y au-
daz. Dos únicos acentos equidistantes, en segunda y décima,
abarcan todo el endecasílabo, manteniendo sin fisura el con-
tenido solidario:

la fronda de la solidaridad.

Estudiando el endecasílabo en los sonetos de Blas de
Otero podemos señalar una tendencia muy acusada a la po-
lirritmia [9], que se intensifica a partir, sobre todo, de Que
trata de España *(1964). En sus primeros libros predomi-*
nan las diversas variedades del ritmo trocaico, con apoyo
principal en sexta (enfáticos, melódicos y heroicos) [10], y sá-
ficos (cuarta-octava, y el italiano sin acento en octava). Des-
de 1964 se observa una utilización cada vez mayor del dac-
tílico, que en los sonetos últimos da una inquietud especial
al ritmo. Esto y la aparición de endecasílabos no normati-
vos nos da la clave de aquellos «naufragios» a que aludía el
poeta y que hemos anotado más arriba: la libérrima volun-
tad de hacer del soneto no una norma de sujeción, sino un
instrumento de la expresividad.

Puede decirse que el ritmo matiza los movimientos emo-
cionales [11] en la poesía de Blas de Otero, y es el endecasíla-
bo, con sus variaciones, uno de los metros que más se pres-
tan a este refinamiento estilístico.

La obra última del poeta, que comprende Hojas de Madrid *con* La galerna *(en la que no se incluyen los sonetos*
inéditos del presente volumen), está escrita totalmente en
verso libre o versículos. Esperemos que Blas de Otero se
decida a publicarla, ya que sería interesante comparar los
temas de los poemas amétricos con los de los sonetos de la
misma época y tratar de descubrir el porqué de la elección
de las diversas modalidades de metro y ritmo.

SABINA DE LA CRUZ,

Profesora de la Universidad
Complutense.

NOTAS

[1] Casella, «Sul Testo della Divina Commedia», en *Studi danteschi*, volumen VIII, 1924, p. 42.

[2] «Elogio del endecasílabo», en «Ensayos sobre poesía española», *Revista de Occidente*, Madrid, 1944, p. 398.

[3] Que no forman parte de dicho libro.

[4] Editor Lorenzo Ribes, Distribuciones Mares, Valencia, 1952, p. 180.

[5] *Elogio del endecasílabo*, o. c.

[6] *El verso*, Alfaguara, Madrid, 1970, p. 19.

[7] El subrayado es nuestro.

[8] Véase E. Alarcos, *La poesía de Blas de Otero*, Anaya, Salamanca, 1966.

[9] Navarro Tomás, *Los poetas en sus versos*, Ariel, Barcelona, 1973.

[10] Navarro Tomás, *Métrica española*, 3.ª ed., Guadarrama, Madrid, 1972.

[11] Obra citada.

1

I

CANTICO ESPIRITUAL

Todo el amor divino, con el amor humano,
me tiembla en el costado, seguro como flecha.
La flecha vino pura, dulcísima y derecha:
el blanco estaba abierto, redondo y muy cercano.

Al presentir el golpe de Dios, llevé la mano,
con gesto doloroso, hacia la abierta brecha.
Mas nunca, aunque doliéndole, la tierra le desecha
al sembrado, la herida donde encerrar el grano.

¡Oh Sembrador del ansia; oh Sembrador de an-
                                    [helo,
que nos duele y es dulce, que adolece y nos cura!
Aquí tenéis, en haza de horizontes, mi suelo

para la vid hermosa, para la espiga pura.
El surco es como un árbol donde tender el vuelo,
con ramas infinitas, doliéndose de altura.

AMIGA DE LA LUZ

Para alumbrar el agua que yo siento
latir en mis entrañas redivivas,
y poderlas soltar, hacerlas vivas,
como corzo de Dios, manos del viento,

tiene que reposar mi pensamiento,
limpiarse de hojarascas sensitivas,
y entonces, sí, las aguas hoy cautivas
brotarán hacia el mar, como un lamento.

Lamento que me dé la voz de todo,
y todo, a su llamada, se recoja.
No esta voz muerta, espumear de lodo,

sino aquella final, timbrada y firme,
amiga de la luz y de la hoja
en el viento de Dios en que he de irme...

CANTICO

Es a la inmensa mayoría, fronda
de turbias frentes y sufrientes pechos,
a los que luchan contra Dios, deshechos
de un solo golpe en su tiniebla honda.

A ti, y a ti, y a ti, tapia redonda
de un sol con sed, famélicos barbechos,
a todos, oh sí, a todos van, derechos,
estos poemas hechos carne y ronda.

Oídlos cual al mar. Muerden la mano
de quien la pasa por su hirviente lomo.
Restalla al margen su bramar cercano

y se derrumban como un mar de plomo.
¡Ay, ese ángel fieramente humano
corre a salvaros, y no sabe cómo!

LA TIERRA

De tierra y de mar, de fuego y sombra pura,
esta rosa redonda, reclinada
en el espacio, rosa volteada
por las manos de Dios, ¡cómo procura

sostenernos en pie y en hermosura
de cielo abierto, oh inmortalizada
luz de la muerte hiriendo nuestra nada!
La Tierra: girasol; poma madura.

Pero viene un mal viento, un golpe frío
de las manos de Dios, y nos derriba.
Y el hombre, que era un árbol, ya es un río.

Un río echado, sin rumor, vacío,
mientras la Tierra sigue a la deriva,
oh Capitán, oh Capitán, ¡Dios mío!

VIVO Y MORTAL

Sé que hay estrellas, luminosos mares
de fuego, inhabitados paraísos,
cadenas de planetas, cielos lisos,
montañas que se yerguen como altares.

Sé que el mundo, la Tierra que yo piso,
tiene vida, la misma que me hace.
Pero sé que se muere si se nace,
y se nace, ¿por qué?, ¿por quién que quiso?

Nadie quiso nacer. Ni nadie quiere
morir. ¿Por qué matar lo que prefiere
vivir? ¿Por qué nacer lo que se ignora?

Solo está el hombre. El mundo, inmenso, gira.
Sobre su gozne virginal, suspira
lo que, vivo y mortal, el hombre llora.

ESTOS SONETOS

Estos sonetos son los que yo entrego
plumas de luz al aire en desvarío;
cárceles de mi sueño; ardiente río
donde la angustia de ser hombre anego.

Lenguas de Dios, preguntas son de fuego
que nadie supo responder. Vacío
silencio. Yerto mar. Soneto mío,
que así acompañas mi palpar de ciego.

Manos de Dios hundidas en mi muerte.
Carne son donde el alma se hace llanto.
Verte un momento, oh Dios, después no verte.

Llambria y cantil de soledad. Quebranto
del ansia, ciega luz. Quiero tenerte,
y no sé dónde estás. Por eso canto.

SOLEDAD

Cuerpo de Dios ardido en llama oscura
por los espacios solos se derrama,
y yo también, oh Dios, oscura llama
soy, en el árbol de tu sombra pura.

Arbol de Dios, oh sí, arboladura
hundida al fondo donde el hombre ama;
y, desde allí, mortal, eterna, clama,
reclama, sueña eternidad y altura.

Mira, Señor, si puedes comprendernos,
esta angustia de ser y de sabernos
a un tiempo sombra, soledad y fuego.

Mira, Señor, qué solos. Qué mortales.
Mira que, dentro, desde ahora, luego,
somos, no somos —soledad— iguales.

ALDEA

La sangre —nuestros muertos— se levanta
con el humo del pueblo silencioso;
en la sombra del río, aun más hermoso,
el chopo antiguo, al contemplarse, canta.

Archivando la luz en la garganta,
vuela, libre, el insecto laborioso.
Alto cielo tallado: luminoso
cristal donde la rosa se quebranta.

Es nuestro ayer, nuestro dolor sin nombre,
retornando, de nuevo, su camino;
futuro en desazón, presente incierto,

sobre el hermoso corazón del hombre.
Como una vieja piedra de molino
que mueve, todavía, el cauce muerto.

HOMBRE

Luchando, cuerpo a cuerpo, con la muerte,
al borde del abismo, estoy clamando
a Dios. Y su silencio, retumbando,
ahoga mi voz en el vacío inerte.

Oh Dios. Si he de morir, quiero tenerte
despierto. Y, noche a noche, no sé cuándo
oirás mi voz. Oh Dios. Estoy hablando
solo. Arañando sombras para verte.

Alzo la mano, y tú me la cercenas.
Abro los ojos: me los sajas vivos.
Sed tengo, y sal se vuelven tus arenas.

Esto es ser hombre: horror a manos llenas.
Ser —y no ser— eternos, fugitivos.
¡Angel con grandes alas de cadenas!

TU, QUE HIERES

Arrebatadamente te persigo.
Arrebatadamente, desgarrando
mi soledad mortal, te voy llamando
a golpes de silencio. Ven, te digo

como un muerto furioso. Ven. Conmigo
has de morir. Contigo estoy creando
mi eternidad. (De qué. De quién.) De cuando
arrebatadamente esté contigo.

Y sigo, muerto, en pie. Pero te llamo
a golpes de agonía. Ven. No quieres.
Y sigo, muerto, en pie. Pero te amo

a besos de ansiedad y de agonía.
No quieres. Tú, que vives. Tú, que hieres
arrebatadamente el ansia mía.

MAR ADENTRO

Oh, montones de frío acumulado
dentro del corazón, cargas de nieve
en vez de río, sangre que se mueve,
me llevan a la muerte ya enterrado.

A remo y vela voy, tan ladeado
que Dios se anubla cuanto el mar se atreve;
orzado el mar, le dejo que me lleve...
Oh llambrias: recibid a un descarriado.

Ardientemente helado en llama fría,
una nieve quemante me desvela
y un friísimo fuego me desvía...

Oh témpano mortal, río que vuela,
mástil, bauprés, arboladura mía
halando hacia la muerte a remo y vela.

MUERTE EN EL MAR

Si caídos al mar, nos agarrasen
de los pies y estirasen, tercas, de ellos
unas manos no humanas, como aquellos
pulpos viscosos que a la piel se asen...

Ah, si morir lo mismo fuese: echasen
nuestros cuerpos a Dios, desnudos, bellos,
y sus manos, horribles, nuestros cuellos
hiñesen sin piedad, y nos ahogasen...

Salva, ¡oh Yavé!, mi muerte de la muerte.
Ancléame en tu mar, no me desames.
Amor más que inmortal. Que pueda verte.

Te toque, oh Luz huidiza, con las manos.
No seas como el agua, y te derrames
para siempre, Agua y Sed de los humanos.

BASTA

Imagine mi horror por un momento
que Dios, el solo vivo, no existiera,
o que, existiendo, sólo consistiera
en tierra, en agua, en fuego, en sombra, en viento.

Y que la muerte, oh estremecimiento,
fuese el hueco sin luz de una escalera,
un colosal vacío que se hundiera
en un silencio desolado, liento.

Entonces ¿para qué vivir, oh hijos
de madre, a qué vidrieras, crucifijos
y todo lo demás? Basta la muerte.

Basta. Termina, oh Dios, de malmatarnos.
O si no, déjanos precipitarnos
sobre Ti —ronco río que revierte.

N O

No se sabe qué voz o qué latido,
qué corazón sembrado de amargura,
rompe en el centro de la sombra pura
mi deseo de Dios eternecido.

Pero mortal, mortal, rayo partido
yo soy, me siento, me compruebo. Dura
lo que el rayo mi luz. Mi sed, mi hondura
rasgo. Señor: la vida es ese ruido

del rayo al crepitar. Así, repite
el corazón, furioso, su chasquido,
se revuelve en tu sombra, te flagela

tu silencio mortal; quiere que grite
a plena noche..., y luego, consumido,
no queda ni el desastre de su estela.

EXCEDE

Querer ser bueno es una fuente rosa
que fluye entre las ruinas del pecado,
un celeste rumor desamarrado,
latiendo entre la sombra misteriosa.

Un pájaro divino va y se posa
sobre el inmóvil corazón cansado;
y entiendo por qué el mundo está inclinado,
por qué la Tierra gira, tan hermosa.

Pero, mortal, el hombre nunca puede,
nunca logra ascender adonde el cielo
la torre esbelta del anhelo excede.

Nunca, jamás, el hombre. Sobre el suelo,
el pájaro se posa, y pasa y hiede
la fuente del humano desconsuelo.

I M P E T U

Mas no todo ha de ser ruina y vacío.
No todo desescombro ni deshielo.
Encima de este hombro llevo el cielo,
y encima de este otro, un ancho río

de entusiasmo. Y, en medio, el cuerpo mío,
árbol de luz gritando desde el suelo.
Y, entre raíz mortal, fronda de anhelo,
mi corazón en pie, rayo sombrío.

Sólo el ansia me vence. Pero avanzo
sin dudar, sobre abismos infinitos,
con la mano tendida: si no alcanzo

con la mano, ¡ya alcanzaré con gritos!
Y sigo, siempre, en pie, y, así, me lanzo
al mar, desde una fronda de apetitos.

PODEROSO SILENCIO

Oh, cállate, Señor, tu voz se abra,
estalle como un mar, como una roca
gigante. Ay, tu silencio vuelve loca
al alma: ella ve el mar, mas nunca el abra

abierta; ve el cantil, y allí se labra
una espuma de fe que no se toca.
¡Poderoso silencio, poderoso
silencio! Sube el mar hasta ya ahogarnos

en su terrible estruendo silencioso.
¡Poderoso silencio con quien lucho
a voz en grito: grita hasta arrancarnos
la lengua, mudo Dios al que yo escucho!

VOZ DE LO NEGRO

Voz de lo negro en ámbito cerrado
ahoga al hombre por dentro contra un muro
de soledad, y el sordo son oscuro
se oye del corazón casi parado.

Dobla el silencio a muerto vivo, airado,
furioso de ser muerto prematuro,
en pie en lo negro apuñalado, puro
cadáver interior apuntalado.

Voz de la muerte en llanto estremecido,
dentro del corazón cava su nido
de sierpe silenciosa, resbalada.

En pie en lo negro apuñalado, hendido.
Y el muerto sigue en él, como si nada
más que nacer hubiese sucedido.

CARA A CARA

Enormemente herido, desangrándome,
pisando los talones a la muerte,
vengo, Dios, a decirte —si no a verte—
mi inmensa sed, mi sed de ti: ahogándome,

me arrojo en tu silencio, a tientas ando... Me
apartas, pegas con tu brazo fuerte
contra mi fe. No finjas defenderte:
¿no ves que tanta fiebre está enfermándome?

Enormemente terco, insisto, grito
contra tu noche: no sé ya qué hacer,
abro, cierro los ojos; pongo, quito

trabas al sueño. Oh Dios, si aun no estoy muerto,
mátame con tu luz: ¡te quiero ver,
necesito dormir —morir— despierto!

MUDOS

«...en alto silencio sepultados».
Rodrigo Caro

De tanto hablarle a Dios, se ha vuelto mudo
mi corazón. Con gritos sobrehumanos
le llamé: ahora le hablo con las manos,
como atándome a El... Solo y desnudo,

clamoreando amor, tiendo, sacudo
los brazos bajo el sol: signos lejanos
que nadie —el sordo mar, los vientos vanos—
descifra... ¡Ah, nadie nunca anclarme pudo

al cielo! Mudo soy. Pero mis brazos
me alzan, vivo, hacia Dios. Y si no entiende
mi voz, tendrá que oír mis manotazos.

Abro y cierro mi cruz. El aire extiende
—como rayos al biés— mis ramalazos.
Acida espuma de mi labio pende...

¡Eternidad, hora ensanchada!
J. R.

No cuando muera he de callar. Que, muerto,
el silencio inmortal será en mi boca,
pero lo haré estallar como a una roca
gigante, estando Dios al descubierto.

Con todo el tiempo —oh eternidad— abierto,
lo inasidero viendo que se toca,
¿cómo no ha de gritar mi rabia loca,
mi ansia de asir un sueño ya despierto?

Gritaré como grita Dios: hundido
en el silencio horrible de la vida,
en el clamor salido de la muerte.

Abreme. Abreme, que vengo herido
y moriría, oh Dios, si por la herida
no saliese, hecha voz, mi ansia de verte.

LASTIMA

Me haces daño, Señor. Quita tu mano
de encima. Déjame con mi vacío,
déjame. Para abismo, con el mío
tengo bastante. Oh Dios, si eres humano,

compadécete ya, quita esa mano
de encima. No me sirve. Me da frío
y miedo. Si eres Dios, yo soy tan mío
como tú. Y a soberbio, yo te gano.

Déjame. ¡Si pudiese yo matarte,
como haces tú, como haces tú! Nos coges
con las dos manos, nos ahogas. Matas

no se sabe por qué. Quiero cortarte
las manos. Esas manos que son trojes
del hambre, y de los hombres que arrebatas.

POSTRER RUIDO

Homenaje a Francisco de Quevedo.

Ya escucho, a solas, el derrumbamiento
de mundos interiores espantoso;
bate mi vida el viento hombrón, borroso
el claustro ensimismal del pensamiento.

Morir, soñar... Un desvanecimiento
verdadero desvae el alma: acoso
—no sé, acaso— de un Ser tan misterioso
como este hombre que yo soy y siento.

A toda luz, el cielo se derrumba,
arriado de raíz, sobre la tumba
donde mi alma vive sepultada.

Tramo a tramo, tremando, se deshace
el cerco de lo eterno. A son de azada
llama Dios en mi alma. Y, aquí yace.

E P I T A S I S

Algo de luz y un poco de ceniza,
acaso un poso de silencio de oro,
es todo mi pobrísimo tesoro,
más esa brisa que se va y desliza...

Sé que, encerado de la muerte, tiza
azul será la sangre que hoy adoro,
suaves estalactitas tacto y lloro
y horror los ojos, y la *pose*, postiza.

He aquí que me muero a manos llenas.
He aquí que me voy, de cuerpo entero.
¡Tanto entibar, y un estirón apenas...!

A duras penas voy viviendo. Pero
álgo de luz y un resto de cadenas
dirán: Esto que veis, fue Blas de Otero.

GRITANDO NO MORIR

¡Quiero vivir, vivir, vivir! La llama
de mi cuerpo, furiosa y obstinada,
salte, Señor, contra tu cielo, airada
lanza de luz. En el costado, brama

la sangre, y por las venas se derrama
como un viento de mar o de enramada:
tras tu llamada se hace llamarada,
oh Dios, y el pecho, desolado, clama.

Vivir. Saber que soy piedra encendida,
tierra de Dios, sombra fatal ardida,
cantil, con un abismo y otro, en medio:

y yo de pie, tenaz, brazos abiertos,
gritando no morir. Porque los muertos
se mueren, se acabó, ya no hay remedio.

PIDO VIVIR

Pediría vivir, si me viniesen
con cielos, pervivir, en carne viva,
en cal hirviente, en pie, patas arriba,
pero vivir, seguir, aunque se hundiesen

cielos y mar... Es más que en cielos, es en
la tierra, aquí, con cal y huesos, iba
diciendo, y permitid que hasta lo escriba,
donde —vuelvo a decir—: Si me viniesen...

¡Si es que no escuchan...! Lucho contra el viento,
tropiezo con el aire: aquí no queda
en pie, más que un airado abatimiento.

Oh torre de cristal, oh tiro raso
atravesando mi broquel de seda.
Golpe brutal de Dios contra mi vaso.

ECCE HOMO

En calidad de huérfano nonato,
y en condición de eterno pordiosero,
aquí me tienes, Dios. Soy Blas de Otero,
que algunos llaman el mendigo ingrato.

Grima me da vivir, pasar el rato,
tanto valdría hacerme prisionero
de un sueño. Si es que vivo porque muero,
¿a qué viene ser hombre o garabato?

Escucha cómo estoy, Dios de las ruinas.
Hecho un cristo, gritando en el vacío,
arrancando, con rabia, las espinas.

¡Piedad para este hombre abierto en frío!
¡Retira, oh Tú, tus manos asembrinas
—no sé quién eres tú, siendo Dios mío!

TIERRA FIRME

Puedo esperar, pegarme a mi esperanza
como un papel lanzado contra el cielo,
lo mismo que un papel de caramelo
que lamiera ese Dios que no se alcanza.

Tácito Adonis sin laurel ni lanza,
y sí con arrayán de llanto y hielo,
hincando en Dios el pie, parto de vuelo
desde el hangar de mi desesperanza.

Caí, caí, como un avión de guerra
ardiendo entre sus alas renacidas.
Helas aquí, hincadas en la tierra.

Sitio del hombre. A pleno sol, sin viento,
¿para qué quiero mi paracaídas,
si se me ha vuelto todo firmamento?

MADEMOISELLE ISABEL

Mademoiselle Isabel, rubia y francesa,
con su mirlo debajo de la piel,
no sé si aquél o ésa, oh *mademoiselle*
Isabel, canta en él o si él en ésa.

Princesa de mi infancia: tú, princesa
promesa, con dos senos de clavel;
yo, *le livre, le crayon, le... le...*, oh Isabel
Isabel..., tu jardín tiembla en la mesa.

De noche, te alisabas los cabellos,
yo me dormía, meditando en ellos
y en tu cuerpo de rosa: mariposa

rosa y blanca, velada con un velo.
Volada para siempre de mi rosa
—*mademoiselle* Isabel— y de mi cielo.

MIRA

Detrás del mirabel de tu vestido,
linealmente apuntando a los claveles,
íntimas silban y a la vez crueles,
dos finas balas de marfil erguido.

Herida seda, silencioso ruido
alrededorizando curvas mieles,
al ras del mirabel, tiros donceles
detienen con un palio sostenido.

No sin temblor, sí con vaivén de vela
alada, insignemente sollozante:
brial latido de tirante tela.

Línea movida, elipse vacilante.
Intimo sismo, mirabel que ve la
alta delicia del marfil silbante.

VENUS

Así, disimulante en istmo y luna
iluminada, casi de oro y nieve;
entredormida y desmayando, leve,
los dedos bellos entre otra y una

columna unidas, sin asir ninguna
(tal, una mano a capitel se atreve),
así Giorgione te soñó... Si mueve
el pincel, es que peina o es que acuna.

Istmo divino, delicada isla,
Isis, oasis de disueltos oros,
sable de seda que se evade, aísla.

Y, al fondo, en un fingido paraíso,
si mudas frondas, cielo y luz canoros
que con los ojos, suavemente, aliso.

BRISA SUMIDA

Esa tierra con luz es cielo mío.
Alba de Dios, estremecidamente
subirá por mi sangre. Y un relente
de llama, me dará tu escalofrío.

Puente de dos columnas, y yo río.
Tú, río derrumbado, y yo su puente
abrazando, cercando su corriente
de luz, de amor, de sangre en desvarío.

Ahora, brisa en la brisa. Seda suave.
Ahora, puerta plegada, frágil llave.
Muro de luz. Leve, sellado, ileso.

Luego, fronda de Dios y sima mía.
Ahora. Luego. Por tanto. Sí, por eso
deseada y sin sombra todavía.

MUSICA TUYA

¿Es verdad que te gusta verte hundida
en el mar de la música; dejarte
llevar por esas alas; abismarte
en esa luz tan honda y escondida?

Música celestial, dame tu vida,
que ella es la esencia y el clamor del arte;
herida estás de Dios de parte a parte,
y yo quiero escuchar sólo esa herida.

Mares, alas, intensas luces libres,
sonarán en mi alma cuando vibres,
ciega de amor, tañida entre mis brazos.

Y yo sabré la música ardorosa
de unas alas de Dios, de una luz rosa,
de un mar total con olas como abrazos.

«...*Tántalo en fugitiva fuente de oro.*»
F. de Quevedo

Cuerpo de la mujer, río de oro
donde, hundidos los brazos, recibimos
un relámpago azul, unos racimos
de luz rasgada en un frondor de oro.

Cuerpo de la mujer o mar de oro
donde, amando las manos, no sabemos,
si los senos son olas, si son remos
los brazos, si son alas solas de oro...

Cuerpo de la mujer, fuente de llanto
donde, después de tanta luz, de tanto
tacto sutil, de Tántalo es la pena.

Suena la soledad de Dios. Sentimos
la soledad de dos. Y una cadena
que no suena, ancla en Dios almas y limos.

UN RELAMPAGO APENAS

Besas como si fueses a comerme.
Besas besos de mar, a dentelladas.
Las manos en mis sienes y abismadas
nuestras miradas. Yo, sin lucha, inerme,

me declaro vencido, si vencerme
es ver en ti mis manos maniatadas.
Besas besos de Dios. A bocanadas
bebes mi vida. Sorbes. Sin dolerme,

tiras de mi raíz, subes mi muerte
a flor de labio. Y luego, mimadora,
la brizas y la rozas con tu beso.

Oh Dios, oh Dios, oh Dios, si para verte
bastara un beso, un beso que se llora
después, porque, ¡oh, por qué!, no basta eso.

CIEGAMENTE

Porque quiero tu cuerpo ciegamente.
Porque deseo tu belleza plena.
Porque busco ese horror, esa cadena
mortal, que arrastra inconsolablemente.

Inconsolablemente. Diente a diente,
voy bebiendo tu amor, tu noche llena.
Diente a diente, Señor, y vena a vena
vas sorbiendo mi muerte. Lentamente.

Porque quiero tu cuerpo y lo persigo
a través de la sangre y de la nada.
Porque busco tu noche toda entera.

Porque quiero morir, vivir contigo
esta horrible tristeza enamorada
que abrazarás, oh Dios, cuando yo muera.

SUMIDA SED

Cuando te vi, oh cuerpo en flor desnudo,
creí ya verle a Dios en carne viva.
No sé qué luz, de dentro, de quién, iba
naciendo, iba envolviendo tu desnudo

amoroso, oh aire, oh mar desnudo.
Una brisa vibrante, fugitiva,
ibas fluyendo, un agua compasiva,
tierna, tomada entre un frondor desnudo.

Te veía, sentía y te bebía,
solo, sediento, con palpar de ciego,
hambriento, si, ¿de quién?, de Dios sería

Hambre mortal de Dios, hambriento hasta
la saciedad, bebiendo sed, y, luego,
sintiendo, ¡por qué, oh Dios!, que eso no basta.

4

SOMBRAS LE AVISARON

Cada beso que doy, como un zarpazo
en el vacío, es carne olfateada
de Dios, hambre de Dios, sed abrasada
en la trenzada hoguera de un abrazo.

Me pego a ti, me tiendo en tu regazo
como un náufrago atroz que gime y nada,
trago trozos de mar y agua rosada:
senos las olas son, suave el bandazo.

Si te quiebran los ojos y la vida.
Lloras sangre de Dios por una herida
que hace nacer, para el amor, la muerte.

Y es inútil soñar que nos unimos.
Es locura creer que pueda verte,
oh Dios, abriendo, entre la sombra, limos.

NI EL NI TU

A martillazos de cristal, el pecho
espera que el dolor le alumbre un llanto
de música esperanza. Y mientras tanto,
silbo en silencio, contemplando el techo.

Sábanas son el mar, navío el lecho,
sedas hinchadas a favor de espanto,
y para qué cambiar: si me levanto
surco la misma sed que si me echo.

Silba en silencio. Sin salir de casa,
silba a los cuatro vientos del olvido,
a ver si vuelve Dios. A ver qué pasa.

Qué va a pasar. Silencio a martillazos.
Un navío en el mar, y otro perdido
que iba y venía al puerto de mis brazos.

II

Y *EL VERSO SE HIZO HOMBRE*

1

Ando buscando un verso que supiese
parar a un hombre en medio de la calle,
un verso en pie —ahí está el detalle—
que hasta diese la mano y escupiese.

Poetas: perseguid al verso ese,
asidlo bien, blandidlo, y que restalle
a ras del hombre —aralo, y hoz, y dalle—,
caiga quien caiga, ¡ahé!, pese a quien pese.

Somos la escoria, el carnaval del viento,
el terraplén ridículo, y el culo
al aire y la camisa en movimiento.

Ando buscando un verso que se siente
en medio de los hombres. Y tan chulo,
que mire a Tachia descaradamente.

y 2

Hablo de lo que he visto: de la tabla
y el vaso; del varón y sus dos muertes;
escribo a gritos, digo cosas fuertes
y se entera hasta dios. Así se habla.

Venid a ver mi verso por la calle.
Mi voz en cueros bajo la canícula.
Poetas tentempié, gente ridícula.
¡Atrás, esa bombolla! ¡Que se calle!

Hablo como en la cárcel: descarando
la lengua, con las manos en bocina:
«¡Tachia! ¡qué dices! !cómo¡ ¡dónde! ¡cuándo!»

Escribo como escupo. Contra el suelo
(oh esos poetas cursis, con sordina,
hijos de sus papás) y contra el hielo.

YO SOY AQUEL QUE AYER NO MAS DECIA...

Dicen que estamos en el antedía,
yo diría: no sé ni dónde estamos.
Ramos de sombra por los pies, y ramos
de sombra en el balcón de la agonía.

Madera dulce de la luz: estría
triste del día que se va. Nos vamos.
Más que lavar el alba, sombreamos
el abanico de la noche fría.

Prefiero fabricar un alba bella
para mí solo. Para ti: de todos,
de todos modos no contéis con ella.

Otros vendrán. Verán lo que no vimos.
Yo ya ni sé, con sombra hasta los codos,
por qué nacemos, para qué vivimos.

DIGO VIVIR

Porque vivir se ha puesto al rojo vivo.
(Siempre la sangre, oh Dios, fue colorada.)
Digo vivir, vivir como si nada
hubiese de quedar de lo que escribo.

Porque escribir es viento fugitivo,
y publicar, columna arrinconada.
Digo vivir, vivir a pulso; airadamente morir, citar desde el estribo.

Vuelvo a la vida con mi muerte al hombro,
abominando cuanto he escrito: escombro
del hombre aquel que fue cuando callaba.

Ahora vuelvo a mi ser, torno a mi obra
más inmortal: aquella fiesta brava
del vivir y el morir. Lo demás sobra.

Coral a Nicolai Vaptzarov.

La soledad se abre hambrientamente,
a todo alrededor es hombre y fronda
de hombro arraigado en la raíz más honda:
la tierra, firme, descieladamente.

Ah noche, y noche y noche en pecho y frente,
tapia del mar, barrido a la redonda
por ola y ola y ola en ronda y ronda
azul y blanca: roja de repente.

Todos los hombres que llevé en las manos
—César, Nazim, Antonio, Vladimiro,
Paul, Gabriel, Pablo, Nicolás, Miguel,

Aragon, Rafael y Mao—, humanos
mástiles, fulgen, suenan como un tiro
único, abierto en paz sobre el papel.

Y OTRO

Aquí termina la primera parte.
Cuántos papeles para qué. Quinientos.
Quinientos tantos a los cuatro vientos
y —solo— un hombre contra todo el Arte.

¿Termina? Nace. Terminante, aparte.
Cuarenta marzos cenicientos,
lientos,
y al fin un fuego donde enfenixarte.

Un hombre. ¿Solo? Con su yo soluble
en ti, en ti, y en ti. ¿Tapia redonda?
Oh, no. Nosotros. Ancho mar. Oídnos.

Y cuando el rojo farellón se anuble,
otro, otro y otro entroncarán su fronda,
verde. Es el bosque. Y es el mar. Seguidnos.

QUE TRATA

Este es el libro. Ved. En vuestras manos
tenéis España. Dicen que la dejo
malparada. No es culpa del espejo.
Que juzguen los que viven por sus manos.

Escrito está con nombres castellanos,
llanto andaluz, reciente, y algún viejo
trozo de historia: todo con un viejo
vasco, corto en palabras. Ved, oíd.

Preguntad quién calumnia a quién. Quién vive
de espaldas a la luz. No sé. Decid
quién encendió la paz frente al nazismo

incendiario. Quién hace, quién escribe
la historia de mañana desde hoy mismo.

Libro, perdóname. Te hice pedazos,
chocaste con mi patria, manejada
por conductores torvos: cruz y espada
frenándola, ¡gran dios, y qué frenazos!

Mutilaron tus líneas como brazos
abiertos en la página: tachada
por el hacha de un neotorquemada,
¡gran dios, graves hachazos!

Libro, devuelve el mal que nos han hecho.
Ancho es el mundo. Como el arte. Largo
el porvenir. Perdona la tristeza,

libro, de darte nueva patria y techo.
Español es el verso que te encargo
airear, airear. Te escucho. Empieza.

LEJOS

Cuánto Bilbao en la memoria. Días
colegiales. Atardeceres grises,
lluviosos. Reprimidas alegrías,
furtivo cine, cacahuet, anises.

Alta terraza, procesión de jueves
santo, de viernes santo, santo, santo.
Por Pagasarri las últimas nieves
y por Archanda helechos hechos llanto.

Vieja Bilbao, antigua plaza Nueva,
Barrencalle Barrena, soportales
junto al Nervión: mi villa despiadada

y beata. (La virgen de la Cueva,
que llueva, llueva, llueva.) Barrizales
del alma niña y tierna y destrozada.

1 9 2 3

Llueve en Bilbao y llueve llueve llueve
livianamente, emborronando el aire,
las oscuras fachadas y las débiles
lomas de Archanda, mansamente llueve

sobre mi infancia colegial e inerme
(jugando con los chicos de la calle
reconcentrada y tímidamente).
Por Pagasarri trepan los pinares.

Llueve en la noche triste de noviembre,
el viento roza y moja los cristales,
y, entresoñando, esucho... Llueve llueve

en mi villa de olvido memorable
—*mademoiselle* Isabel—, pálida frente
de niño absorto entre los soportales...

NO QUIERO QUE LE TAPEN LA CARA
CON PAÑUELOS

Escribo; luego existo. Y, como existo
en España, de España y de su gente
escribo. Luego soy, lógicamente,
de los que arman la de dios es cristo.

¡Escribir lo que ve! ¡Habrase visto!,
exclaman los hipócritas de enfrente.
¿No ha de haber un espíritu valiente?,
contesto.

¿Nunca se ha de decir lo que se siente?,
insisto.

    No. No dejan ver lo que escribo
    porque escribo lo que veo.
    Yo me senté en el estribo.

    Y escribí sobre la arena:
    ¡Oh blanco muro de España!
    ¡Oh negro toro de pena!

DADME UNA CINTA PARA ATAR
EL TIEMPO

Con palabras se pide el pan, un beso,
y en silencio se besa y se recuerda
el primer beso que rozó aquel pétalo
en el jardín de nuestra adolescencia.

Las palabras son tristes. Tienen miedo
a quedarse en palabras o en promesas
que lleva el aire como un beso muerto:
pobres palabras que el olvido entierra.

Dadme una cinta para atar el tiempo.
Una palabra que no se me pierda
entre un olvido y un recuerdo.

Quiero que el aire no se mueva y venga
un mal viento que arrastre por el suelo
años de luz, palabras bellas...

(VIENE DE LA PAGINA 1936)

¿Qué voy a hacer con cinco o seis palabras,
siete todo lo más, si el martes próximo
saldré de España con españa a cuestas,
a recontar palabras? Cinco, es poco.

¿Qué voy a hacer? Contarlas cien mil veces,
hacérselas oír hasta a los sordos.
(Hay muchos sordos porque hay muchos versos
afónicos, criptóricos, retóricos.)

¿Criptóricos? ¡Y mil, dos mil millones
oyen la radio, abren el periódico...!
¿Qué les diré cuando me pidan cuentas?

Les hablaré de cosas que conozco.
Les contaré la historia de mi patria,
¡a ver si continúa de otro modo!

Y DIJO DE ESTA MANERA

Será porque he tenido mala suerte.
Será que no sé hablar si me distraen.
Pero por qué son tan azules las paredes
del día, por qué diablos no son páredes.

Será porque el azul tiene una «l»
garbosa y muy elegante,
o será porque el día se defiende
entre cuatro paredes intocables.

Será porque he tenido mala suerte
y me ha tocado siempre conformarme,
pero por qué lo mismo y por qué siempre.

Será que no sé hablar si no es del aire,
y el aire sabe que eso me entretiene
... tenía.

> *Mi calabozo tenía*
> *una ventanita al mar,*
> *donde yo me entretenía*
> *viendo los barcos pasar*
> *de Cartagena a Almería...*

DEL ARBOL QUE CRECIO EN UN ESPEJO

(Mi corazón dice, dice
que se muere, que se muere;
y yo le digo, le digo
que s'aspere, que s'aspere...
que quiero morir contigo.
                    Cante hondo.)

Pregúntale al espejo por qué dice
tu corazón que se muere.
Yo le respondo por los dos, le digo
que se espere, que se espere.

Pregúntale a la vida por qué insiste
en terminar malamente.
Yo le devuelvo la moneda, insisto
hasta el final, a contra muerte.

Pregúntale al espejo. No te mires
en el río que no vuelve,
¿no ves que el mar no sabe qué decirte?

Yo le respondo por los dos, le digo
que se aleje, que se aleje,
que estoy plantando un árbol junto al río.

CUANDO DIGO

Cuando digo esperanza digo es cierto.
Cuando hablo del alba hablo del día.
Cuando pronuncio sombra, velaría
las letras de mi patria, como a un muerto.

Cuando escribo aire libre, mar abierto,
traduzco libertad (hipocresía
política), traduzco economía
en castellano, en plata, en oro injerto.

Cuando digo a la inmensa mayoría
digo luego, mañana nos veremos.
Hoy me enseñan a andar y ver y oír.

Y ellos ven, oyen la palabra mía
andar sobre sus pasos. Llegaremos.
Es todo cuanto tengo que decir.

MIENTRAS VIVA

Vuestro odio me inyecta nueva vida.
Vuestro miedo afianza mi sendero.
Vida de muchos puesta en el tablero
de la paz, combatida, defendida.

(Ira y miedo apostaron la partida,
quedándose los dos con el dinero.
Qué hacer, hombre de Dios, si hay un ratero
que confunde la Bolsa con la vida.)

Vuestro odio me ayuda a rebelarme.
A ver más claro y a pisar más firme.
(Mientras viva, habrá noche y habrá día.)

Podrán herirme, pero no dañarme.
Podrán matarme, pero no morirme.
Mientras viva la inmensa mayoría.

ESPAÑA

A veces pienso que sí, que es imposible
evitarlo. Y estoy a punto de morir
o llorar. Desgraciado de aquel que tiene patria,
y esta patria le obsede como a mí.

Pregunto, me pregunto: ¿Qué es España?
¿Una noche emergiendo entre la sangre?
¿Una vieja, horrorosa plaza de toros
de multitud sedienta y hambrienta y sin salida?

Fuere yo de otro sitio. De otro sitio cualquiera.
A veces pienso así, y golpeo mi frente
y rechazo la noche de un manotazo: España,

aventura truncada, orgullo hecho pedazos,
lugar de lucha y días hermosos que se acercan
colmados de claveles colorados, España.

VAMONOS AL CAMPO

Señor Don Quijote, divino chalado,
hermano mayor de mis ilusiones,
sosiega el revuelo de tus sinrazones
y, serenamente, siéntate a mi lado.

Señor Don Quijote, nos han derribado
y vapuleado como a dos histriones.
A ver, caballero, si te las compones
y das vuelta al dado.

Debajo del cielo de tu idealismo,
la tierra de arada de mi realismo.
Siéntate a mi lado, señor Don Quijote.

Junto al pozo amargo de la soledad,
la fronda de la solidaridad.
Sigue a Sancho Pueblo, señor Don Quijote.

IN MEMORIAM

Cortando por la plaza de la Audiencia, bajaba
al Duero. El día era de oro y brisa lenta.
Todo te recordaba, Antonio Machado (andaba
yo igual que tú, de forma un poco vacilante).

Alamos del amor. La tarde replegaba
sus alas. Una nube, serena, soñolienta,
por el azul distante morosamente erraba.
Era la hora en que el día, más que fingir, inventa.

¿Dónde tus pasos graves, tu precisa palabra
de hombre bueno? En lo alto del ondulado alcor,
apuntaba la luna con el dedo. Hacia oriente,

tierras, montes, y mar que esperamos que abra
sus puertas.
              Hacia el Duero caminé con dolor.
Regresé acompañado de una gran sombra ausente.

1939-1942

Miguel Hernández

Hay una muerte lenta que atraviesa
la vida lentamente, lentamente.
No es la traidora muerte de repente
que deja el ansia, aunque caída, ilesa.

¿La súbita del rayo? No, no es ésa,
es la que llega despaciosamente
como claror confusa del oriente:
trágica luz del rayo que no cesa.

Así, noche tras noche, sucumbiste
en medio de una España negra y triste:
como el toro en la plaza, como el toro.

La juventud de hoy, la de mañana,
forja otro cielo rojo, audaz, sonoro,
con un rayo de sol en la ventana.

ALBERTO SANCHEZ

Puesto que Rafael te ha puesto en verso claro
—y tú te lo mereces como la luz del día—,
abramos por la página de España tuya y mía,
el aire

se vuelve para verte narrar un caso raro.
Subido en tus palabras, gesticulantemente,
das cuerda a tus historias reales y espectrales,
el aire

retrepa por tus hombros, muy toledanamente.
Alberto: tú conoces de cerca lo lejano.
Y no hay un solo pueblo de Castilla la Nueva,
el aire,

que no esté siempre un poco al alcance de tu
[mano.

I. TIERRA

Por qué he nacido en esta tierra. Ruego
una disculpa. Algo, en fin, de comer,
de vivir. Es horrible no saber
andar por esta tierra, aire, mar, fuego

incógnitos. Si a un cojo guía un ciego,
¿qué harán sino caer, caer, caer!
Pero yo he visto y he palpado. Ser
o no ser. Cara o cruz. Trágico juego.

Trágico amor, amor hasta las heces,
España, hija de padres conocidos,
desavenidos una, cien, mil veces.

Por qué he nacido en esta tierra. Hundidos
tengo los ojos. Pero no tropieces,
madre, aun no nos damos por vencidos.

y II. INERME

Aun no nos damos por vencidos. Dicen
que se perdió una guerra. No sé nada
de ayer. Quiero una España mañanada
donde el odio y el hoy no maniaticen.

Inclitas guerras paupérrimas, sangre
infecunda. Perdida. (No sé nada,
nada.) Ganada (no sé) nada, nada:
éste es el seco eco de la sangre.

Por qué he nacido en esta tierra. Ruego
borren la sangre para siempre. Luego
hablaremos. Yo hablo con la tierra

inerme. Y como soy un pobre obrero
de la palabra, un mínimo minero
de la paz, no sé nada de la guerra.

CRONICA DE UNA JUVENTUD

(En un homenaje a Vicente Aleixandre)

Pasó sin darme cuenta. Como un viento
en la noche. (Y yo seguí dormido.)
Oh grave juventud. (Tan grave ha sido,
que murió antes de su nacimiento.)

¿Quién dirá que te vio, y en qué momento
en campo de batalla convertido
el ibero solar? ¡Ay!, en el nido
de antaño oí silbar

las balas. (Y ordené el fusilamiento
de mis años sumisos.) Desperté
tarde. Me lave (el alma); en fin, bajé
a la calle. (Llevaba un ataúd

al hombro. Lo arrojé.) Me junté al hombre,
y abrí de par en par la vida, en nombre
de la imperecedera juventud.

HISTORIA DE LA RECONQUISTA

Yo sé que puedes. Eres pueblo puro,
materia insobornable de mi canto,
desenquijotizándote un tanto,
sé que puedes. Podrás. Estoy seguro.

¿Quién sino tú aupó desde lo oscuro
un sol bajo el que el orbe abrió su manto,
tanto andaluz universal y cuánto
vasco exiliado y extremeño duro!

Allá historias. Aquí la que hace falta
es conquistar el año diecisiete,
que está más cerca. Tierra firme. Alta

mar de los hombres —bravas, hondas olas
de Cuba—, bate, vuélcate, acomete
contra las hoscas costas españolas.

ADVERTENCIA A ESPAÑA
(CORAL)

No estoy solo. Salut au monde! Millones
y millones están conmigo, estoy
aquí, con cada uno y todos: soy
muchísimos, son mar a borbotones.

Tú, tú y tú me dais mi yo, varones
y hembras de mi ayer y de mi hoy.
—*¡Hijo, como estás viejo!*... Ten, os doy
perenne juventud, hecha jirones.

No estoy solo, mi pobre patria sola,
asida a un clavo ardiente. Estás conmigo,
mira qué inmensa mar nos acompaña.

¡Ay, mísera de ti! ¡Ay, española
ola lejana! ¡Sálvame contigo,
somos millones para una España!

ANTEDIA

Las cuatro y media de la madrugada.
(10 de enero. París, año 60)
Viento blanco, plagiada nieve lenta,
lenta, como si tú..., como si nada.

Suenan las cinco cinco voces, cada
vez más despacio. Gas azul tormenta.
Tercera gotera. Luz amarillenta.
Esto es todo. Total: alba exilada.

Alba exilada. Día prisionero.
Duermes... Como si yo, como si España
errasen por tu sueño, libres. Suenan

las seis, las siete, las que sean. Pero
España se ha parado. Duerme... España,
llambria de luz, ¿qué sombras te encadenan?

EN LA PRIMERA ASCENSION REALIZADA POR UNA MUJER

Dichosos los que viven en la tierra
armada de confianza en el futuro.
de que la paz derrotará a la guerra.
Abre la puerta, airea el mundo, cierra

el ayer fratricida, triste, oscuro.
¿Y tú, Terechkova, rompiendo el puro
aire, sonríes? Diles, desentierra
el porvenir. Mañana es hoy. Dichosos

esos tus ojos dulces, victoriosos,
pastora de la paz, llave celeste
pendiente de una fina cinta roja,

sonríes y rejuvenece el Este,
en tanto que Occidente se sonroja.

AÑO MUERTO, AÑO NUEVO

Otro año más. España en sombra. Espesa
sombra en los hombros. Luz de hipocresía
en la frente. Luz yerta. Sombra fría.
Tierra agrietada. Mar. Cielo que pesa.

Si esta es mi patria, mi vergüenza es esa
desde el Cantábrico hasta Andalucía.
Olas de rabia. Tierra de maría
santísima, miradla: hambrienta y presa.

Entré en mi casa; vi que amancillada
mi propia juventud yacía inerte;
amancillada, pero no vencida.

Inerte, nunca desesperanzada.
Otro año más camino de la muerte,
hasta que irrumpa España a nueva vida.

LA URDIMBRE

Nadie entiende el tejido de la esfera.
Es una urdimbre reciamente urdida.
Dónde tiene la entrada y la salida.
Dónde el círculo y dónde la ribera.

Es una esfera esfinge verdadera,
mitad muerte mitad temprana vida,
y lo que roza el aro es una huída
deslizadoramente pasajera.

Nadie entiende el tejido ni la urdimbre.
Silencio alrededor de la navaja.
Silencio dentro del terrible timbre.

Es un círculo raudo y dirigido.
Una línea inocente sube y baja
y nadie sabe nada del tejido.

VIEJA HISTORIA

Había un albañil enjalbegado.
Un torrente de luna transparente.
Ladrillo tras ladrillo, lentamente,
el edificio izó su ramo alzado.

El albañil pensó pondré el tejado,
cuatro ventanas y una luz enfrente.
La plaza se llenó de turbia gente,
el radiante albañil fue masacrado.

Las ventanas quemaban como soles.
El ramo se escurría por el suelo.
Los ladrillos temblaban y plañían.

Es una vieja historia de españoles,
conquistadores de un vacío cielo,
mientras los campos áridos ardían.

HISTORIAS FINGIDAS Y VERDADERAS

Estas historias que se acercan tanto
a la verdad, son puro fingimiento:
no ostentan otro firme fundamento
que la verdad que veo y toco en cuanto

escribo y finjo que soñé: vi tanto,
tanta realidad se llevó el viento,
que imaginé ya fútil aspaviento
vida, sueño, verdad, historia, espanto.

Nací en España, y en España apenas
engendra la razón sino hórreos sueños
y lo que existe, existe a duras penas.

Tal fue la historia de mi vida: imagen
real y semejanza de los sueños
de mi patria. Compruébenlo, y barajen.

GRANDES ALMACENES

Los grandes almacenes. La escalera,
los raudos coches, los rostros de cera,
semikafkianos.] Tiendo el cuello: ¿Tienen
sombrillas? ... Vienen van y vienen,

roces de estrías rosas y madera.
Voy a gritar. Pregunto. Toco. Digo
lo mismo siempre. No comprenden. Sigo,
Telas. Alfombras voladoras. Flores.

Una muchacha tiende el brazo. [Fuera,
vuelvo, pregunto, no comprenden. ¿Tienen
antinas? ¡Eh, Gregorio! Sigo,

vuelvo. Demonio, no comprenden. ¡Digo
antinas! ¡... tines!
                            Vienen van y vienen...

ULTIMA NOCHE EN CUBA

Ultima noche en Cuba. Brava suerte
la mía: el mar rodea el horizonte
destrozado: cantábrico es el monte.
hirsuto el cielo: alrededor la muerte.

Vida brava la mía: cierzo fuerte,
tenaz llovizna, pésimo horizonte:
no me pesa el amor, pésame el monte
del desamor: alrededor la muerte.

Doy señales de vida al enemigo
y sigo halando infatigablemente,
acercando a la tierra el horizonte.

Ultima etapa que acometo y sigo,
sigo, sigo subiendo airadamente
hacia la luz suavísima del monte.

2

LIBRO

Está naciendo día a día. Llueve,
hace viento, golpean las ventanas,
rasgo un papel, crepitan las persianas,
digo que el libro está naciendo. Llueve,

hace viento, le dejo que me lleve
al tren, al barco, a las americanas
islas de las Antillas: no hay habanas
ni santiagos sin sol: a veces, llueve.

Madrid, días de páginas delgadas
en el invierno, páginas rasgadas
por un verso instantáneo, transversal.

Llueve. Lleno de vida, el libro crece,
tropieza, avanza, y se nos aparece
de pronto, sin principio ni final.

FONSECA

El humo es como el alma, esa humareda
que inventaron los siglos tenebrosos:
el humo de los hombres silenciosos
al cielo sube, asciende, hala, se enreda.

Y lo que queda es eso: lo que queda
de un cigarro en los dedos temblorosos.
El humo, el alma..., sueños vaporosos
girando en incesante y rauda rueda.

Pero mi alma es un tabaco habano.
Es la rubia cabeza de *Fonseca*
que arde y jamás se desvanece en vano.

Mi alma entre mis dedos: desdoblada
en el verso, deshilando la rueca
de mi vida, escurrida de la mano...

TODO LO HUMANO

Aquí termina el libro. *C'est fini.*
(¿Por qué escribo en francés?, es divertido.)
Hojas sueltas, mirad cómo han caído
de mi mano, mejor dicho, de mí.

¿Qué más puedo decir? Digo que sí
a la vida, al camino recorrido
y a la verdad impresa en el oído.
Esto dicen las *Hojas de Madrid*.

Y ahora, a vivir, a andar, a remover
nuevos surcos, a colocar la mano
en la siguiente escala: a no caer

como hoja de otoño en el vacío.
Yo soy un ángel fieramente humano,
todo lo humano es asunto mío.

EL *BOLERO*

Suena el *Bolero*, de Ravel. Y suena,
suena el *Bolero*, de Ravel. Va y viene
el son, el son sonoro del *Bolero*. Viene
y va el *Bolero*, de Ravel. Y suena.

Ni un punto sus compases desordena,
solo, sonando, asciende, sube. Viene
y va el *Bolero*, de Ravel. Sostiene
el ritmo, mueve su cadera. Y suena.

Insiste, sube, asciende, suena. Tiene
ritmo monótono, lento, terco: suena
y mueve la cadera. Viene

y va, vibrando, acentuando, fiel
a sí mismo, insistiendo: sube, suena,
sube, sube el *Bolero*, de Ravel!

HISTORIA DE MI VIDA

A los cincuenta y tres años de mi vida
comienzo a caminar de otra manera:
el paso tardo y la esperanza fuera,
como un arado uncido a su mancera.

A los cincuenta y tres años de mi vida
el soneto es distinto, las vocales
más anchas, los apóstrofes iguales
y los naufragios más originales.

He vivido volcándome en los días
y ascendiendo las noches destrozadas,
entre cristales rotos y alegrías.

Viviré con los ojos bien abiertos
entre golpes de olas y de azadas.
Como escuchan los hombres. Como miran los
                                                    [muertos.

MAR

A cuarenta kilómetros del mar,
borrosamente divisando el día
azul, desvanecida la bahía
y destrozadamente abierto el mar,

cansado de mirar el mar el mar el mar,
abrí los brazos a la luz del día
abarcando de un golpe la bahía,
escurriéndose lejos verde el mar...

¿Qué hacer? Abrir, cerrar, abrir los brazos,
acantilarme y desacantilarme,
abarcando las olas a retazos.

A cuarenta kilómetros del mar,
ni una gota de agua, ni un adarme
del maravilloso mar mar mar mar.

POR AHI PASA LA MUERTE

Han pasado los años: sigo vivo,
y cansado, y tenaz hasta las heces;
cien veces que naciese, tantas veces
viviera y escribiera como escribo.

Puesto ya el pie desnudo en el estribo,
cito a morir, espejo en que apareces
doncel sin par, peón de doncelleces
en el tablero del azar cautivo.

Tarde de sol, ya tarde y peligroso
quebrar junto a las tablas el embite
instantáneo del tiempo presuroso.

Cruje la luz, la sombra suena al paso
del repentino y fugitivo quite,
fino percal tendido hacia el ocaso...

A LA RESURRECCION DE CRISTO

Juan 20, 1   Cuentan que una mañana, aun os-
                [curo,
una mujer —María Magdalena,
dicen— vino a un sepulcro; y vio,
                [llena
Mar. 16, 6   de susto, atrás la losa, contra el
                [muro.
Luc. 24, 2

Mat. 28, 3   Y dicen que le dijo un ángel (puro
Juan 20, 13   tal un rayo): ¿Por qué, mujer, tu
                [pena?
Mat. 28, 6   Ha resucitado como dijo. En a-
Mat. 27, 66   delante nadie sellará seguro.

             Esto cuentan. Y dicen más: que
                [Cristo
Juan 20, 14   de pie, habló: María. Y, ella: Maes-
                [tro
Juan 20, 16   (Rabboni). Y luego, a Pedro, a Juan:
Juan 20, 18   [He visto

Juan 20, 25   al Señor y me ha dicho... Dicen,
                [cuentan.
Pero, yo digo, con Thomás: Si nues-
Juan 20, 30   tro dedo... No sea que los Cuatro
Juan 20, 31   [mientan.

PALABRAS SIN SENTIDO

Palabras sin sentido que acompasan
el pensamiento y los parabrisas
esas que se deslizan cuando pisas
pañuelos faldas que fingiendo pasan.

Este endiablado oficio que repasan
las manos y los labios entre brisas
de papel blanco satinadas risas
de sílabas silbantes que se abrasan

sabemos, entendemos, nucleamos
de dónde hemos partido, adónde vamos
entre alambradas hambre y vejaciones

y por eso cantamos todo el día
contra la sombra de la tiranía
que se arrastra por todos los rincones.

PORQUE ESTOY UN POCO TRISTE

Fumando espero a que la poesía
pase de campo a campo de batalla,
lecho de amor y lumbre que restalla
contra las costas de la patria mía.

Tras los cristales se divisaría
el mundo entero: Africa y América
y Europa y Asia y —dice la aritmética—
falta la siempre hermosa Oceanía.

Fumar es un placer antisalúbrico
como un poema malo, pelma, lúbrico,
cantad, bailad, oh hijas de Sión.

Florezca el campo de batalla, ría
el verso transformado en poesía
tal un arrabalero bandoneón.

LIBRO DE MEMORIAS

El tiempo come mucho, es una fiera
con brazos, ilusiones en los dientes,
ropas chapadas, lluvia y sol, pendientes
de sus labios de rauda cremallera.

Pasan los días y pasamos: era
un caballito de cartón, fluyentes
ayeres y hoyes ya desvanecientes,
en mortal, rapidísima carrera.

¿Y qué? O como dice aquél: ¿Qué pasa?
Aquí no canta nadie lo perdido,
desvanecido, ido... Tabla rasa.

El tiempo es bueno, como hay dios. Hay días
en que no se ve a nadie. Es que se han ido
entre memorias y neblinas frías...

PLANO DE LA CIUDAD

Las ciudades del mundo reaparecen
reagrupadas en torno al gran estrépito.
El campo, alrededor: mudo, decrépito,
en tanto campos de batalla crecen.

Esta ciudad que toco y llueve y mecen
misiles de este y aquel lado: escéptico
sitio del hombre, retumbar patético
de puentes, plazas, mar que se estremecen.

Ciudades que yo he visto, aldeas, puertos,
aeródromos de chicle y pus errante,
árboles con un niño entre las hojas.

Cauce de vivos caminando muertos,
el hoy chascado y el ayer delante,
huecos los ojos y las manos rojas.

M U J E R

Y volver a nacer. Cerrar la puerta,
abrir los ojos y el entendimiento,
mirar a la pared, oír el viento
entre los framboyanes de la huerta.

Sentarme. Sonreír de dicha cierta,
sobre una alfombra del Renacimiento.
Consentir que camine el pensamiento
a plena mar, a plena mar abierta.

Y volver a nacer. Y arar la tierra
del amor, y encontrarse una mañana
que el surco el fruto del amor encierra.

Canta, canario, canta. Reíd, flores
azules, amapolas de oro y grana.
A ti, mujer, amor de mis amores.

ESTA VERDAD VERTIDA

Esta palabra dice *compañera;*
esta palabra dice *vida hermosa;*
esta palabra dice *cuna y fosa;*
esta palabra dice *vida entera.*

Esta palabra dice *miel y cera;*
esta palabra dice *laboriosa;*
esta palabra dice *labio rosa;*
esta palabra dice *enredadera.*

Esta palabra dice todo y nada,
esta palabra está muy enamorada
de ti, como una luna que se abra.

Esta palabra dice *compañera;*
esta palabra dice *miel y cera;*
esta verdad vertida en la palabra.

TERCER MOVIMIENTO

Qué es un soneto, un vaso, un hastaluego,
un granado florido, un hombre errante,
qué es la palabra, el eco, el consonante
que choca como un coche en noche y fuego

qué es verso libre y largo al que no llego
por más que estire el brazo hacia delante,
qué es porvenir y nunca y ayer ante
un presente parado y mudo y ciego

suena Beethoven su *concerto in C
minor: allegro largo rondo* suena
Beethoven y el presente se ilumina

como un cine que esplende y palpa y ve;
éste es el verso libre que encadena
palabras al azar. Y aquí termina.

EL AIRE

El aire desenreda el pensamiento
de los locos, las almas torturadas,
el aire con las manos desviadas
hacia la luz del monte. Es el momento

de vivir, de vivir, vivir. *Memento
homo*. Espumas superexplotadas
en los negros rincones. Desplegadas
las velas, arde el aire en movimiento.

Abrete, aire, airea el pensamiento
de los locos, las almas torturadas,
y lo demás que se lo lleve el viento.

Es el momento de vivir, vivir. Alzadas
manos contra el sombrío firmamento,
aire, aire aventado olas airadas...

PROVINCIA DE SEGOVIA

La nieve. En el mesón hay dos ancianos
y un niño. El campo es un papel pulido.
El río se ha parado, reunido a
su cremallera entre sus quietas manos.

El sol anda brillando en los veranos
de ayer: el sol haciendo casi ruido
al andar. Un anciano se ha dormido;
el otro, fuma; el niño ve aeroplanos,

quiero decir aviones, golondrinas
en el fuego fugaz. Chillan los leños,
y el campo es un silencio incomprensible.

Las hayas, los castaños, las encinas.
El humo traza lentos, vagos sueños
mientras la nieve cae, cae impasible.

¿QUE OCURRE?

La calle en crepitante cremallera
desliza coches, autobuses, olas
humanas, deslizadamente solas,
semáforos frutales en la acera.

¿Qué ocurre? ¿qué ciudad de sol y cera
derrite pasos arrastrando colas,
abanicos, periódicos, pianolas
de claxons, turbia gente vocinglera?

Viva Bilbao, París, Praga, Sevilla,
Saigón con paracaídas en sombrilla,
viva la humanidad desvencijada.

Kafka. Joyce. Dostoyevski. Cuánto cuento
hecho realidad en el momento
más grave de la historia aprisionada.

EL AEROPLANO DE PAPEL

El huerto. La ventana. Un aeroplano
de papel. Ella y él se dan un beso.
El niño juega a piedrecillas, eso
que no hace daño a nadie. Es el verano.

La azada alza y desalza en una mano
chispas de luz. El río rueda preso
en libertades. (¿Libertades? Eso
que para sí quisiera el ser humano.)

Los frutales disfrutan de la brisa
verde que los agita, ronda, irisa,
mientras el niño muerde una cereza.

La mujer mueve dos cerezas senos
y el río rueda preso (mucho menos
que el hombre atado de pies a cabeza).

EL GRITO

Hace un extraño viento, las paredes
del día han vacilado y los senderos
ondulan como brazos plañideros:
el sol extiende sus movibles redes.

Puedes imaginarte un valle liso, puedes
un monte con morados ventisqueros;
lo que no podrás nunca es cerrar ceros
por más que el dedo, tercamnte, ruedes.

Qué viento, qué palabras adheridas
al parabrisas, qué será de mí
cuando adentre las largas avenidas.

El día dice a veces que estoy muerto,
a veces dice sólo sí, sí, sí:
entonces doy un grito y me despierto.

SECUENCIA

La historia de mi vida es un panfleto
lanzado en medio de la plaza roja,
es un triciclo trágico, que arroja
llamas: de pronto, se extasía, quieto.

La historia de mi vida es un soneto
encabalgado, con la rima coja,
y, sin embargo, salta, ríe, moja
las rimas en maravilloso seto.

Escucho un disco del Caribe, canta
un guajiro rasgando la garganta,
incendiando la décima española.

La historia de mi vida canta, cuenta
una secuencia en blanco y negro, inventa
rumor de mar en rauda caracola.

POR SABIA MANO GOBERNADA

Serenidad, seamos siempre buenos
amigos. Caminemos reposada-
mente. La frente siempre sosegada
y siempre sosegada el alma. Menos

mal que bebí de tus venenos,
inquietud, y no me supiste a nada.
El aire se serena, remansada
música suena de acordes serenos.

No moverán la hoja sostenida
con mis dedos, a contra firmamento
en medio del camino de mi vida.

Vísteme de hermosura el pensamiento,
serenidad, perennemente unida
al árbol de mi vida a contra viento.

EL HUERTO

Orozco cabe en un soneto. Acaso
poco aireado, un poco angosto y frío,
pero por él va cavilando el río
y va el aldeano antiguo paso a paso.

¿En barrotes de hierro? No hagas caso.
Escucha *Rosamunde*, Schubert mío
y del aire: una esquila, un cohete, un pío
del alba rosa y el grosella ocaso.

El palacio está viejo. Los higales
del huerto, añosos, y los pejugales
pisados por un niño entristecido.

Aquí jugué al frontón, allí me he muerto
adolescentemente en los trigales.
Doña Pepita está sola en el huerto.

SU INTIMO SECRETO

El soneto es el rey de los decires.
Hermoso como un príncipe encantado,
como una banda azul, cuadriculado
para que dentro de él ardas, delires.

Es preciso que bogues raudo y gires
entre sus olas y su muelle alzado:
quede tu pensamiento destrozado
cuando te lances de cabeza y vires.

Yo tengo en cada mano un buen soneto,
como dos remos de marfil y oro.
Yo conozco su íntimo secreto.

Es un silencio pronunciado a coro
por un labio desnudo, blanco, inquieto
y otro labio sereno, abril, sonoro.

CARDO AMARILLO

El alma está serena, está sentada.
El cielo extiende su papel difuso.
Este hombre vivió jugando y puso
su vida al tablero: lúcida jugada.

Y esperó. Con la mano nivelada
habló a los hombres claramente, expuso
su caso; conoció al chino y al ruso
y al cubano. Y a España maniatada.

El alma libre, tranquilizadora
a través de las ruinas y las nubes.
Este hombre pregunta por la hora.

Serenamente. Como un cardo en flor.
Viendo pasar los ríos y las nubes,
hacia la muerte en cauce de dolor.

CON LA ESPALDA

El mundo es una inicua maravilla:
hay árboles montañas ríos valles
declinando hacia el sur plazuelas calles
pistas con largas cintas amarillas.

Hay guerras paracaídas en sombrilla
misiles tanques y, sin más detalles,
el hombre (¿el hombre? mejor que te calles)
torturas y tiranos y guerrillas.

Esto he visto: esto escribo. Letra a letra
di testimonio. Mi palabra incide
tal una bella bala que penetra.

¿El hombre? el hombre calla grita toca
la pared con la espalda duda pide
libertad paz.
                              Y le rompen la boca.

AYER MAÑANA

La primera palabra está escondida
en la boca del pueblo: el romancero
y el cancionero popular: prefiero
este hontanar con agua reunida.

Luego viene fray Luis, con recia brida
tirando de su labio verdadero;
y Quevedo, chascando el verso, fiero
látigo relampagueándole la herida.

Y viene Rosalía, estremecida
como niebla en el valle: una campana
tañe en la lontananza, dolorida.

Y Machado. Y Vallejo. Y la ventana
de aquella cárcel de Nazim. La vida
sigue, otra voz resonará mañana...

AL VOLVER LA OLA

Palabras importantes entretienen
imposible estoy triste tocadiscos
electrones bailando al sol pedriscos
aviones supersónicos que vienen

estas palabras y otras se sostienen
por sí mismas y trepan por los riscos
distraídamente miran a los discos
rojo amarillo verde pasen suenen

palabra por sí misma sin estrías
suelta inocente incomprensible y sola
al compás de las noches y los días

maravilloso son desnudo y libre
como el hombro elegante de la ola
Altivamente se ladee y vibre.

1970

Un niño está llorando en la escalera.
Baja un ratón retonteando a trechos.
La luna se deshila en los helechos.
Niño azul. Ratón gris. Luna de cera.

El viento asciende y le requiere *espera,*
espera, niño, agárrate a los pechos
de la virgen, el viento abre los techos
como una carta urgente, volandera.

¿De quién, de dónde es este niño absorto,
tropezante, inocente? De este mundo,
es de este mundo del año setenta.

Una lágrima larga, un calzón corto,
un silencio ascendiendo del profundo
hueco de la escalera cenicienta.

...ESTE PUEBLO FINAL EN ESTE RARO HOY

Hablo de aquel poeta solo él.
Un poeta del sur introvertido.
Con qué delicadeza de oído
traza el vocablo exacto en el papel.

Su palabra amarilla como miel
tiene raíz de pueblo no aprendido.
Nadie ha cantado tan estremecido
ante sí mismo, su único dintel.

Oigo su íntima voz maravillosa.
Su amarillo de sol poniente y rosa
amanecida. Dice lo que quiere

y como quiere. Cuánto pueblo al fondo
de su memoria, un pueblo blanco y hondo
que habla en su voz y a nuestra voz se adhiere.

COMPRE, O LE MATO

Hay una casa y un anuncio enfrente.
La fachada es azul y giratoria.
Las letras andan sueltas por la historia,
más bien loca y cruel, del siglo XX.

Los transeúntes tropiezan de repente
igual que un muerto sin pena ni gloria.
Periódicos, gasoil, inflamatoria
atmósfera del diablo decadente.

Un niño sale de la casa. Mira
el anuncio falaz. No entiende, estira
el cuello y llora largamente y chilla.

Los hombres pasan con el gas al cuello.
El mundo es horroroso, pero bello
como un slogan en letra amarilla.

CONTESTEN

Destruir la palabra. Desgraciados.
Expresar nada. Pobres diablos rotos.
Víctimas, víctimas de la sociedad
que os envuelve y vuelve mudos, sordos.

Sea el vocablo. Esta boca es mía.
Construyamos con materiales hondos
y firmes. Si es falso el mundo, alcemos
un anuncio que diga: NO ESTOY SOLO.

Millones como yo mueren de sed
y hambre de palabras que contesten
al slogan manchado en sangre y oro.

Hoy no es ayer y ya gime el mañana
entre un montón de escombros alineados:
televisión, anuncios, *flash*, periódicos.

EL LABIO CON QUE ESCRIBO

Si escribo, es por hablar. Abro la puerta
y aguardo a un hombre, una mujer. Y escribo
hablándoles despacio, como amigo.
El gesto, lento; y la palabra, cierta.

Y puesto que la puerta está ya abierta,
salgo al campo a ver bailar el trigo
y a parlar con los árboles: testigo
soy de la vida y la verdad incierta.

Hablo a los hombres, hablo a Blas de Otero,
hablo a los aviadores y a los mares,
al campesino, al hierro y al minero.

Por eso escribo: por hablar. Y vivo
a viva voz, rondando los lugares
más hermosos del labio con que escribo.

INVASION

Maravilloso mar el de la muerte.
Tocar el fondo, al fin, tocar el fondo.
No hender las olas en que hoy me escondo,
sino hacer pie pisando, ahondando fuerte.

Entro en el centro de la sombra inerte,
y, desde allí, retorno al aire, rondo
la luz, revivo y viro en el más hondo
maravilloso mar: el de la muerte.

Muertos del mundo: uníos, emerged
entre sangre y cadenas; renaced
de las revoluciones invencidas.

Renaceré yo, mar, en las arenas
de Playa Larga, rotas las cadenas
de las olas que invaden nuestras vidas.

CAMINOS

Después de tanto andar, paré en el centro
de la vida: miraba los caminos
largos, atrás; los soles diamantinos,
las lunas plateadas, la luz dentro.

Paré y miré. Saliéronme al encuentro
los días y los años: cien destinos
unidos por mis pasos peregrinos,
embridados y ahondados desde adentro.

Cobré más libertad en la llanura,
más libertad sobre la nieve pura,
más libertad bajo el otoño grave.

Y me eché a caminar, ahondando el paso
hacia la luz dorada del ocaso,
mientras cantaba, levemente, un ave.

DE JUVENTUD, DE JUVENTUDES

Un revuelo de flores amarillas
y de azuladas y violetas flores,
una terraza y unos miradores
llenos de sol, de aire y de semillas.

Una camisa rosa, unas sombrillas
anaranjadas junto a los verdores
del mar, del prado, de los girasoles
con pétalos tamaño de cuartillas.

Un revuelo de alas de palomas,
un tableteo de ametralladoras,
un vendaval hundiendo los taludes.

El mundo entero, el monte, el mar, las lomas,
las avenidas iluminadoras,
bajo un ruido triunfal de juventudes.

QUE ES EL MORIR

El tiempo, el tiempo pasa como un río.
No. Yo soy una barca pasadera
a lo largo del río. (Blanda cera
consumiéndose a fuego lento y frío.)

El tiempo, el tiempo es siempre y nunca mío
como una secuencia que fluyera
en negro y blanco, un raudo film que fuera
borrándome la estela del navío...

El árbol. Permanece. A contra viento.
Junto al río, escuchando el movimiento
de las piedras del fondo removidas.

Yo soy. Un árbol. Arraigado. Firme.
Aunque, en el fondo, bien sé que he de irme
en el río que arrastra nuestras vidas.

EGLOGA

Un hombre escribe. La pared blanquea.
Asciende una palabra hasta la mano.
Silencio lento. El tiempo pasa en vano.
Otra palabra duda, cabecea.

El hombre piensa, olvida, merodea
interiormente. Contraluz lejano.
Jadea un ángel fieramente humano.
Otra palabra irrumpe y espolea.

El hombre aprieta la palabra, ciñe
el silencio interior. Luego, desprende
el verso sabiamente rumoroso.

Un extraño sentido enciende y tiñe
el papel donde olvida y donde aprende
Salicio juntamente y Nemoroso.

NO ME EXPLIQUEN NADA

Incomprensible es el sentirse vivo.
Iniciar el dibujo de la vida
debajo del papel, semidormida
la conciencia y el ámbito cautivo.

Ignoro claramente cuanto escribo
y desconozco el ruido de la huida,
pienso en silencio extraña es la salida,
incomprensible el rumbo y el arribo.

Hay niebla en las paredes corredizas
y sombra por el suelo desolado.
Profundos encerados, raudas tizas

y tiempo sobre tiempo deslizado.
El cristal de la vida se hace trizas
incomprensiblemente derribado.

EL HOMBRE QUE ERA UN ARBOL
YA ES UN RIO

En el espacio gira rosa abierta
entre azules hermosamente huidos
mitad mar mitad tierra mitad ruidos
débiles de la ola cenicienta.

Y millones de estrellas y de incierta
materia modelándose entre hendidos
átomos nebulosas confundidos
entre un fuego azulado que despierta.

En medio el hombre sin saber de dónde
cómo ni cuándo ni por qué se tiende
junto a un río una sima que se esconde.

Guerras hambres historia hacia un final
desconocido que ni dios entiende,
entrelazando en él el bien y el mal.

HAGAMOS QUE EL SONETO SE EXTIENDA

Hagamos que el soneto se extienda, respire como
    un mar sin riberas,
el endecasílabo está gastado, romo, mordisqueado
    cual aquella carta mía a los dioses,
demos espacio, elasticidad al soneto y el
    endecasílabo.

Hablemos de Bilbao, la ría, los montes violetas,
el puente de piedra en Orozco, el huerto de la
    abuela,
aquel niño mordiendo cerezas
y esta muchacha que alza el brazo a la rama de
    un manzano.

Hablemos de la guerra, esa gran cabronada,
la lucha de los pueblos, la inseguridad del futuro,
y maldigamos una y cien veces al imperialismo
    imperante.

Hablemos de la soledad del hombre,
las esquinas que callan como muertos de pie,
y ahora suena el teléfono y me levanto y termino.